《汉语风》中文分级
Chinese Breeze Grad

主编 刘月华 储诚志

dì sān zhī yǎnjing

第三只眼睛

The Third Eye

原创 赵绍玲
Yuehua Liu and Chengzhi Chu
with Shaoling Zhao

北京大学出版社
PEKING UNIVERSITY PRESS

图书在版编目(CIP)数据

第三只眼睛 / 刘月华, 储诚志主编. —北京: 北京大学出版社, 2011.7
(《汉语风》中文分级系列读物. 第3级. 750词级)
ISBN 978-7-301-18949-8

Ⅰ. 第⋯　Ⅱ. ① 刘⋯ ② 储⋯　Ⅲ. 汉语 – 对外汉语教学 – 语言读物
Ⅳ. H195.4

中国版本图书馆 CIP 数据核字(2011)第 099887 号

书　　　　名:	第三只眼睛
著作责任者:	刘月华　储诚志　主编
	赵绍玲　原创
	王萍丽　练习编写
责 任 编 辑:	李　凌
插 图 绘 制:	杨　柳
标 准 书 号:	ISBN 978-7-301-18949-8/H·2838
出 版 发 行:	北京大学出版社
地　　　　址:	北京市海淀区成府路 205 号　100871
网　　　　址:	http://www.pup.cn
电　　　　话:	邮购部 62752015　发行部 62750672
	编辑部 62753374　出版部 62754962
电 子 信 箱:	zpup@pup.pku.edu.cn
印　刷　者:	北京大学印刷厂
经　销　者:	新华书店
	850 毫米×1168 毫米　32 开本　2.75 印张　34 千字
	2011 年 7 月第 1 版　2013 年 11 月第 3 次印刷
定　　　　价:	16.00 元(含 1 张录音 CD)

刘月华

毕业于北京大学中文系。原为北京语言学院教授，1989年赴美，先后在卫斯理学院、麻省理工学院、哈佛大学教授中文。主要从事现代汉语语法，特别是对外汉语教学语法研究。近年编写了多部对外汉语教材。主要著作有《实用现代汉语语法》（合作）、《趋向补语通释》、《汉语语法论集》等，对外汉语教材有《中文听说读写》（主编）、《走进中国百姓生活——中高级汉语视听说教程》（合作）等。

储诚志

夏威夷大学博士，戴维斯加州大学东亚语文系中文部主任，校第二语言习得研究所执行理事，语言学系研究生（硕博士）导师组成员。主要专业兼职为全美中文教师学会常务理事和加州中文教师协会副会长。曾在斯坦福大学、北京语言学院等学校任教多年。研究领域为汉语语言学，认知语义学，汉语L2的教学和习得，语料库和计量语言学，以及电脑技术在汉语教学中的应用。发表中英文学术论文20余篇，专著《位移事件在中文里的认知和表达》即将出版；主持完成"汉语中介语语料库系统"和中文L2教材编写软件"中文助教（ChineseTA）"等多个中文L2研究项目。

赵绍玲

笔名向娅，中国记者协会会员，中国作家协会会员。主要作品有报告文学集《二十四人的性爱世界》、《国际航线上的中国空姐》、《国际航线上的奇闻秘事》等，电视艺术片《凝固的情感》、《希望之光》等。多部作品被改编成广播剧、电影、电视连续剧，获各类奖项多次。

Yuehua Liu

A graduate of the Chinese Department of Peking University, Yuehua Liu was Professor in Chinese at the Beijing Language and Culture University. In 1989, she continued her professional career in the United States and had taught Chinese at Wellesley College, MIT, and Harvard University for many years. Her research concentrated on modern Chinese grammar, especially grammar for teaching Chinese as a foreign language. Her major publications include *Practical Modern Chinese Grammar* (co-author), *Comprehensive Studies of Chinese Directional Complements*, and *Writings on Chinese Grammar* as well as the Chinese textbook series *Integrated Chinese* (chief editor) and the audio-video textbook set *Learning Advanced Colloquial Chinese from TV* (co-author).

Chengzhi Chu

Ph.D., University of Hawaii. Chu is Associate Professor and Coordinator of the Chinese Language Program at the University of California, Davis, where he also serves on the Executive Board of the Second Language Acquisition Institute and is a member of the Graduate Faculty Group of Linguistics. He is a board member of the Chinese Language Teachers Association (USA) and Vice President of the Chinese Language Teachers Association of California. He taught at Stanford University and Beijing Language and Culture University for many years. He has published more than 20 articles on topics in Chinese linguistics, Chinese pedagogy, and cognitive semantics, and has a forthcoming book on motion conceptualization and representation in Chinese. He was PI of two major software projects in Chinese pedagogy and acquisition: *Chinese TA* and the *Corpus of Chinese Interlanguage*.

Shaoling Zhao

With Xiangya as her pen name, Shaoling Zhao is an award-winning Chinese writer. She is a member of the All-China Writers Association and the All-China Journalists Association. She authored many influential reportages and television play and film scripts, including *Hostesses on International Airlines*, *Concretionary Affection*, and *The Silver Lining*.

前　言

　　学一种语言,只凭一套教科书,只靠课堂的时间,是远远不够的。因为记忆会不断地经受时间的冲刷,学过的会不断地遗忘。学外语的人,不是经常会因为记不住生词而苦恼吗?一个词学过了,很快就忘了,下次遇到了,只好查词典,这时你才知道已经学过。可是不久,你又遇到这个词,好像又是初次见面,你只好再查词典。查过之后,你会怨自己:脑子怎么这么差,这个词怎么老也记不住!其实,并不是你的脑子差,而是学过的东西时间久了,在你的脑子中变成了沉睡的记忆,要想不忘,就需要经常唤醒它,激活它。《汉语风》分级读物,就是为此而编写的。

　　为了"激活记忆",学外语的人都有自己的一套办法。比如有的人做生词卡,有的人做生词本,经常翻看复习。还有肯下苦工夫的人,干脆背词典,从A部第一个词背到Z部最后一个词。这种精神也许可嘉,但是不仅痛苦,效果也不一定理想。《汉语风》分级读物,是专业作家专门为《汉语风》写作的,每一本读物不仅涵盖相应等级的全部词汇、语法现象,而且故事有趣,情节吸引人。它使你在享受阅读愉悦的同时,轻松地达到了温故知新的目的。如果你在学习汉语的过程中,经常以《汉语风》为伴,相信你不仅不会为忘记学过的词汇、语法而烦恼,还会逐渐培养出汉语语感,使汉语在你的头脑中牢牢生根。

　　《汉语风》的部分读物出版前曾在华盛顿大学(西雅图)、Vanderbilt大学和戴维斯加州大学的六十多位学生中试用。感谢这三所大学的毕念平老师、刘宪民老师和魏苹老师的热心组织和学生们的积极参与。夏威夷大学的姚道中教授,戴维斯加州大学的李宇以及博士生Ann Kelleher和Nicole Richardson对部分读物的初稿提供了一些很好的编辑意见,李宇和杨波帮助建立《汉语风》网站,在此一并表示感谢。

Foreword

When it comes to learning a foreign language, relying on a set of textbooks or time spent in the classroom is never nearly enough. That is because memory gets eroded by time; one keeps forgetting what one has learned. Haven't we all been frustrated by our inability to remember new vocabulary? One learns a word and quickly forgets it, so next time when one comes across it one has to look it up in a dictionary. Only then does one realize that one used to know it, and so one keeps having to look it up in a dictionary, and one starts to blame oneself, "why am I so forgetful?" when in fact, it's not your shaky memory that's at fault, but the fact that unless you review constantly, what you've learned quickly becomes dormant. The *Chinese Breeze* graded series is designed specially to help you remember what you've learned.

Everyone learning a second language has his or her way of jogging his or her memory. For example, some people make index cards or vocabulary notebooks so as to thumb through them frequently. Some simply try to go through dictionaries and try to memorize all the vocabulary items from A to Z. The spirit may be laudable, but it is a painful process, but the results are far from being sure. *Chinese Breeze* is a series of graded readers purposely written by professional authors. Each reader not only incorporates all the vocabulary and grammar specific to the grade but also an interesting and absorbing plot. It enables you to refresh and reinforce your knowledge while at the same time having a pleasurable time with the story. If you make *Chinese Breeze* a constant companion in your studies of Chinese, you won't have to worry about forgetting your vocabulary and grammar. You will also develop your feel for the language and make Chinese firmly rooted in your mind.

Thanks are due to Nyan-ping Bi, Xianmin Liu, and Ping Wei for arranging more than sixty students to field-test several of the readers in the *Chinese Breeze* series. Professor Tao-chung Yao at the University of Hawaii, Ms. Yu Li and Ph.D. students Ann Kelleher and Nicole Richardson of UC Davis provided very good editorial suggestions. Yu Li and Bo Yang helped build the *Chinese Breeze (Hanyu Feng)* websites. We thank our colleagues, students, and friends for their support and assistance.

主要人物和地方名称
Main Characters and Main Places

周天 zhōu Tiān

a new policeman

张东明 Zhāng Dōngmíng

a smart tour guide

关全来 Guān Quánlái

the pickpocket who commits crimes at airplane

水笑笑 Shuǐ Xiàoxiao

Zhou Tian's girlfriend, an stewardess of an airline

毛局长 Máo júzhǎng

the director of the police department where Zhou Tian works at

文志 Wén Zhì

a policeman, Zhou Tian's partner

村长 cūnzhǎng

the head of the village where Guan Quanlai lives in

北京机场 Běijīng Jīcháng：Beijing Airport

山西省一个小村子 Shānxī Shěng yí ge xiǎo cūnzi：
　　　　　a small village in Shanxi

文中所有专有名词下面有下画线，比如：周天
(All the proper nouns in the text are underlined, such as in 周天)

目 录
Contents

1. 飞机上怎么老丢[1]钱？

2001 年 12 月 22 日下午两点，一个男人带着一个黑色的包，风一样跑着进了北京机场的警察[2]办公室[3]。

"警察[2]先生！我在飞机上丢[1]了钱，十，十万啊！快……快帮我找找!"因为紧张，他连话都说不清楚了。

听见"在飞机上丢[1]了钱"这句话，警察[2]周天的心[4]突然很重地跳了几下。糟糕！这是最近飞机上第五次出[5]了"三只手[6]"了！前四次的还没找到呢。……从第一次有人在飞机上丢[1]了几万美元开始，毛局长就很注意这个情况，决定把这个大案件[7]让文志

1. 丢 diū: lose
2. 警察 jǐngchá: policeman
3. 办公室 bàngōngshì: office
4. 心 xīn: heart
5. 出 chū: appear; (come)out
6. 三只手 sānzhīshǒu: pickpocket (Lit: three measure-word hand)
7. 案件 ànjiàn: case (at law court)

和周天办，周天正为这事着急[8]呢。

那个男人着急[8]地跑过来，脸红红的，周天很快地上下看了看他，一看就是个有钱[9]人。他穿的衣服是外国的，一种世界上很有名的牌子[10]，拿着的包看起来也很贵。周天站起来，"你好！先生，先别着急[8]，慢慢说。"

"哪能不着急[8]呢?！十万块钱呀" 说着，那个男人的眼睛红了……

"请先坐下，"周天说，"想一想，钱是在哪里丢[1]的? 怎么丢[1]的?"

8. 着急 zháo jí: worry; feel anxious
9. 有钱 yǒu qián: rich
10. 牌子 páizi: brand

那个男人只好坐下来，苦着脸对周天说："钱，装在这个包里，我只知道是在飞机上丢[1]的，但是，是怎么丢[1]的，就不知道了……您想想，我要是知道的话，就不会丢[1]了呀!"

周天想，这个人和前四个一样，都是只知道钱是在飞机上丢[1]的，别的线索[11]，一点儿都说不出来。从11月9号飞机上第一次有人丢[1]钱开始，在不到两个月的时间里，飞机上已经一共出[5]了五个这样的大案件[7]! 要知道，在过去的几十年里，中国的飞机上没有人丢[1]过一毛钱! 因为，飞机和公共汽车、火车不同，公共汽车和火车都是要停好多次的，小偷[12]偷[13]了别人的钱，很容易下车跑掉; 飞机就不一样了，在飞机上偷[13]了别人的东西，很难跑掉。所以，过去"三只手[6]"都不上飞机偷[13]东西。可是现在，飞机上怎么也出[5]了这种事呢?! 而且出[5]了五次，每次一丢[1]就是几万、十几万块

11. 线索 xiànsuǒ: clue
12. 小偷 xiǎotōu: pickpocket
13. 偷 tōu: steal

钱，丢¹钱的人还一点儿线索¹¹都说不出来。这事真叫周天头疼！要好好问问这个丢¹钱的人。

周天倒了一杯茶，"先生，请喝点茶，您认真想一想，钱会不会是在去机场的路上丢¹的？会不会是在上飞机前丢¹的？"

"不会！"那个男人马上回答说。他的话说得很急，手一动，杯里的茶都流出来了。"我不是个马马虎虎的人！因为工作需要，我每个月都要坐几次飞机，所以我总是¹⁴自己从家里开车去机场，回来的时候，再开车回家。今天早上，我把钱放进包里，也

14. 总是 zǒngshì: always

是自己开车去的机场。在机场，为了看好装钱的包，我去餐厅和厕所的时候，都一直把它拿在手里。12点20分，飞机到了北京机场，人们都开始忙着拿东西，我因为怕钱出[5]问题，所以飞机刚停下来，我就第一个站起来，去拿我的包。那个包还在老地方，我一拿，和原来一样重，一点儿都没觉得有什么问题，我就把它提起来下了飞机。我姐姐开车来接我，到了姐姐家，我打开[15]包，想拿出送给姐姐的礼物，才发现十万块钱没了！放钱的地方多了一本三四斤重、和那些钱差不多大小的英文词典……"

从那位先生说的来看，他做事不但不马马虎虎，还挺认真呢！可是，从他上飞机到下飞机，一共才一个半小时，钱是怎么丢[1]的呢？

周天接着[16]问："在飞机上，这个包放在哪里？"

那位先生说："包里有那么多钱，我当然是把它放在我头上离我最近的

15. 打开 dǎkāi: open up
16. 接着 jiēzhe: continuously (Lit: following)

那个行李舱[17]里。因为怕出[5]问题，我过一会儿就会很注意地看看那个行李舱[17]。我觉得今天一路平安。"

这么说，钱真的不像在机场里丢[1]的。但是，也看不出是在飞机上丢[1]的呀！这个偷[13]钱的人不简单！想到这儿，周天心[4]里很不舒服，可是，周天没有别的办法，只好像前四次一样，拿出笔和一个大本子，把这个男人说的情况都细细地记了下来。

Want to check your understanding of this part?
Go to the questions on page 64.

---

17. 行李舱 xínglicāng: luggage compartment

2. 想出一个好办法

　　这天晚上，夜已经很深了，周天躺在宿舍的床上，可是怎么也睡不着[18]。他已经连着好多天没睡好觉了。过去，周天跟文志一起办案件[7]，虽然很累，但是躺下就能睡着，而且，能一直睡到第二天早上。可是现在不行了，周天关了灯，"一、二、三、四……"努力地数到一千，还是没一点想睡的意思。周天是去年从大学出来的新警察[2]，刚实习完。在周天床的右边，还有一张床，那是文志的，文志已经当了七年警察[2]了，一直睡那张床，但是，现在那张床空了好几个星期了。文志还在上中学的时候，父亲就死了。文志的母亲今年春天生了重病，肚子大得像一个球。医生说，希望夏天能好些，没想到，已经过了秋

18. 睡不着 shuì bu zháo: cannot sleep

天，现在都到冬天了，他母亲吃了很
多药，可是病不但没好，还越来越
重，大夫也没有什么好办法，文志只
好一直在医院照顾母亲。所以，这次
抓¹⁹住在飞机上偷¹³钱的"三只手⁶"，
就只能靠周天一个人了。文志的床收
拾得很干净，只有几本中文书和一本
英文词典、还有两本航空杂志放在床
上。周天知道，那本词典是在书店买
的，书是从图书馆借的，杂志每月一
本是邮局送来的。文志没有哥哥姐姐

19. 抓 zhuā: catch (a criminal)

弟弟妹妹，所以，妈妈特别爱文志。妈妈的病越来越重，文志当然不能离开。

不能跟有经验的警察[2]一起办这个大案件[7]，周天心[4]里有点儿空……他拿出手机想给他的女朋友打个电话，可是看了看表，又放下了。都夜里12点了，周围非常安静，水笑笑应该已经睡着了吧？水笑笑是周天的女朋友，一个漂亮的空姐[20]，周天非常喜欢她。周天看着外边的月亮，那月亮虽然只是半圆，但是很美，正慢慢地从东向西走。那美美的半个月亮很像水笑笑可爱的眼睛……想起水笑笑，周天的心[4]里立刻舒服了不少。

20. 空姐 kōngjiě: stewardess

心⁴里舒服了，看问题就不一样了。周天想，月亮有时候能看见，有时候看不见，但是，眼睛虽然看不见，月亮也还是在从东向西走。案件⁷也是这样，虽然有时候看不到线索¹¹，但是，那不是没有线索¹¹，只要努力去找，线索¹¹就一定能找到！他把身体躺得舒服一点儿，对自己说："好好找找，这五个案件⁷有什么一样和不一样的地方？比一比这些一样和不一样的地方，也许可以发现什么有用²¹的线索¹¹?"

他躺在卧室的床上，一个案件⁷一个案件⁷地想……突然，他想起什么来了，开了灯，跳下床。天气很冷，周天也没穿外衣，就坐到桌子前面，拿出笔和纸²²，开始一边想，一边画。他想起文志的一个习惯，哪些问题想不清楚，就试试拿笔画，画完了，它们的关系在心⁴里就更清楚了。飞机上这五次丢¹钱的事，都出⁵在很近的两个城市中间，他在纸²²的左右两边很快地画上了两个黑颜色的圆，飞机差

21. 有用 yǒuyòng: useful
22. 纸 zhǐ: paper

不多都是只需要飞一小时。他又一画，把两个圆连在一起，"这就是说，那个小偷[12]的手很快，上了飞机，不用很长时间就能偷[13]到钱。他怕别人发现丢[1]了钱，所以喜欢飞的时间短一些。还有，时间短，票也便宜……"那么，他是一个人做的吗？还是跟别人一起做的？"周天一边想一边很快地画了一个长着三只手[6]的人，"还有没有别人帮助他？"他在这个人的旁边画了一个"?"，"这五次丢[1]钱的都是四十岁到五十岁的先生，没有更老的，也没有更小的，当然，也没有女的……"周天几笔就画出了一个老人、一个孩子和一个女人的脸，"可是，丢[1]钱的为什么没有老人和孩子呢？为什么没有女的呢？"他在老人、孩子和女人的脸旁边都画了一个"×"，"还有，他怎么知道谁带了很多钱坐飞机？怎么知道这些钱放在哪件行李里？"周天连着画了大大小小好几个漂亮的包，"还有就是……"周天想了一会儿，"啊，还有就是，丢[1]钱的人虽然都没有看见是

谁、在哪里、怎样偷¹³走了那些钱，但是，他们都认为自己的钱，一定是在飞机上丢¹的!"

　　已经夜里两点多了，周天又有点儿急了。他看着自己画的那几个人，周天想："这两个月来，丢¹的钱一共都快五十万了……真的不能再找不到小偷¹²了!"可是，用什么办法才能找到那个小偷¹²呢？周天一急，又用手重重地打了一下桌子……啊！他突然想起了什么，他的眼睛很快地转了转，一下子站起来，"对！钱要真是在飞机上丢¹的，那么，这个'三只手⁶'就一定和丢¹钱的人一起坐飞机！我怎么忘了？买机票的时候，每个人都要留下名字和身份证[23]号啊！应该试一试，看看能不能从这些名字和身份证[23]号上发现什么线索[11]！"想到这儿，周天心[4]里有点高兴了，就好像看见了一些希望。他把画收到桌子里，很快地看了一下表，才三点多，离起床的时间还早呢。窗户外边，月亮还在天上[24]，很亮[25]很亮[25]的。周天真想叫它走得快一点儿，早一点儿从西边下去，他就等着明天早上去见毛局长了。

第二天早上，太阳还没出来，周天很快地洗了脸，吃了点早饭，不到8点，就站在毛局长办公室[3]的门口了。毛局长在早上的冷风里刚刚打了一套太极拳，做完运动，回到办公室[3]，拿起报纸。毛局长的办公室[3]里挂了一张风景画儿，非常漂亮，周天爱好旅游和画画，那张风景画就是他放假的时候在一个国家公园里画的。画上有长城，有大山大河，有大片的黄颜色和绿颜色，还有一条狗。毛局

---

23. 身份证 shēnfènzhèng: identification card
24. 天上 tiānshang: in the sky
25. 亮 liàng: bright

长很喜欢画上颜色的变化，就挂到自己的办公室³里了。一看见周天，毛局长就笑了，"这么早！进来，进来！是有好消息告诉我吗?"

周天把案件⁷的发展情况告诉了毛局长，他说："局长，昨天又出⁵了个飞机上丢¹钱的人！这是第五个了，丢¹了十万呀……昨晚我想，这五次丢¹钱，情况都差不多，应该可以把这五个案件⁷连在一起办，所以，我想去航空公司看看，找到丢¹钱的飞机上所有人的名字和身份证²³号，希望从里边能有一些发现。"

　　毛局长高兴地说，"好啊，周天，想得对！小偷[12]长了三只手[6]，我们警察[2]就必须锻炼出三只眼睛！一个好警察[2]，就应该从没有线索[11]中找线索[11]，从没有办法中找办法。你马上去做吧！"

　　周天立刻回答："是！"

　　毛局长一直看着周天走出门去，他很喜欢周天，这是个工作非常认真的新警察[2]，把这个大案件[7]给他办，他一定能很快进步。

Want to check your understanding of this part?
Go to the questions on page 64.

3. 发现两个线索¹¹

这是北京最大的一家航空公司。一位漂亮的卖票小姐回答着周天的问题。知道周天是警察²以后，小姐马上放下手里的杯子，热情地站起来，说："需要我的帮助吗？"从她说话的样子看，她挺喜欢周天。是呀，像周天这样长得很帅²⁶的警察²，哪个女孩不喜欢呢？

"我需要这五次飞机上客人的名字和身份证²³号，请帮助我找一找。"周天很客气地说。

小姐看了看那张写着日子和飞机时间的纸²²，问："所有坐过这五次飞机的客人，名字和身份证²³号都要吗？"

"都要。"周天说。他接着¹⁶问，"是不是很麻烦？"

小姐半开玩笑地说："当然了！不

26. 帅 shuài: handsome

过没关系，你要是觉得太麻烦我了，可以请我吃午饭，谢谢我。这样你就不会不好意思了。"小姐说完，看着周天，美美地笑了一下。

周天心⁴里有点急，又有点不好意思，"别开玩笑，我正忙呢。"

小姐笑了一下，说："没问题，请等一会儿!"她坐到电脑前开始找起来。

周天站在旁边等着，他看见小姐的桌子上，电脑旁边放着一张周末舞会的票。周天想，她一定很喜欢跳舞，对，这样又年轻²⁷又漂亮的小姐

27. 年轻 niánqīng: young

是应该多去跳舞的！小姐一会儿就找
到了坐这五次飞机的客人的名字和身
份证²³号。她把这些名字和身份证²³
号，一个飞机一张，清楚地打印²⁸到
五张白纸²²上，拿给站在旁边的周天。

　　看见小姐把事情做得这么快这么
好，想想自己刚才对她说话不太客
气，周天觉得有点不合适，就一边接
过这些纸²²，一边说了很多客气话，
"好极了！谢谢啊！我这个人……说
话很急，不会拐弯儿²⁹，你别不高兴
啊！等有空儿了，一起吃晚饭，我请
客！你喜欢哪个饭馆？"没想到周天
突然这么问她，小姐一下子不知道怎
么回答。

　　"要不然³⁰，看电影或者去舞会也
行。"周天又着急⁸地说。

　　小姐这次大笑起来，"你这人太
有意思了！帮助你做这点事是很容易
的呀。你不了解我，我有时候爱开玩
笑，你别认真啊！"说着，在一张纸²²
上写下自己的电话号码，"还需要帮

28. 打印 dǎyìn: print
29. 拐弯儿 guǎi wānr: make a turn
30. 要不然 yàoburán: or else

助,就来电话吧。再见!"

从航空公司出来后,周天开始[4]高兴起来,也许是拿到这些名字和身份证[23]号,让他看到了希望,也许是那个漂亮女孩子的玩笑让他快乐起来。他觉得自己最近一直不愉快的心[4]里,一下子舒服了不少,走起路来,身体也好像变轻了。

回到办公室[3],周天立刻把那五张纸[22]摆在桌子上,一张一张细细地看。周天很会记人的名字和脸,在警官大学念一年级的时候,上课就学过记人的名字,不管是几个汉字的中文名字还是很长很长的英文名字,周天都练习过,不用怎么复习,他考试总是[14]考得最好。

看到第二张纸[22]的中间部分,他看到了"关全来"三个字。"关全来!"周天突然觉得,这个名字在第一张纸[22]上也见过!他马上用笔在这个名字下画了一下,又接着[16]往下看。看到最后部分,他发现,有个叫张东明的,在第一张纸[22]上也见过!他又用笔在"张东明"三个字下画了一

下。把五张纸²²都细细地看完,周天高兴极了,因为他发现,五张纸²²里,三张纸²²上有张东明;那个关全来,每一张纸²²上都有!这就是说,这两个很可能就是他要找的人!他马上拿起电话,请航空公司那位卖票的小姐注意,只要这两个人再来买票,就马上给他打电话。接着¹⁶,周天打开¹⁵电脑,照着身份证²³号,从警察²用的网上很快就了解到,关全来是山西省人,张东明的身份证²³就是北京市发的!他还了解到,张东明在一家旅游公司当导游。他决定先近后远，先了解这个叫张东明的，再去山西了解那个关全来！计划[31]想清楚了，周天立刻开车去了张东明工作的那家旅游公司。

Want to check your understanding of this part?
Go to the questions on page 65.

---

31. 计划 jìhuà: plan; plan to do

4. 是这个导游干[32]的吗?

"先生，我是警察[2]，来了解一下你们这里一个人的情况。"在一间不大的办公室[3]里，周天拿出警官证[33]，给旅游公司的经理[34]看了看。

"张东明是在这里工作吗?"

"是的，但是张东明昨天带着一队旅游的人去北京的北边，就是到长城外边去了。"经理[34]的回答，客气里带着点紧张。

"没关系，我只想了解一些他的情况，咱们聊聊好吗?"

经理[34]还是有点紧张，"当然可以。您想知道什么呢?"

"他的工作情况、生活情况，你知道的都可以介绍介绍。"

听周天问这些事情，经理[34]马上回答："张东明是个好导游!他不会做

---

32. 干 gàn: do
33. 警官证 jǐngguānzhèng: police ID
34. 经理 jīnglǐ: manager

坏事的!"

"你慢慢说,别紧张。"周天说。

"张东明很懂旅游文化,在我们公司工作特别努力,人也很热情,碰到[35]问题很有办法,跟他旅游过的客人都很喜欢他!"

"啊,是这样。"周天听得很有兴趣。

"我给你说件事儿吧。"经理[34]接着[16]回答,"有一次,他陪十几个英国客人旅行,去的时候天气很好,到了回来的那天,下起了大雨,飞机改了时间,客人很不高兴。有的导游,这种时候只会急,没有好办法。张东明不是这样,他请这些外国人坐在一起,先是用英语学唱简单的中国歌,后来又用汉语唱简单的外国歌,客人们很有兴趣。后来,这些客人给我写了封信,说,真没想到,世界上还有这么有意思的事,飞机晚了不但没有不高兴,还像参加了一场音乐会!"

"对了,他还会变魔术!有一天,火车到得晚了,他就给大家变起魔术来,左边客人衣服里的护照被变到右

35. 碰到 pèngdào: bump into, meet

边客人的衣服里，右边客人衣服里的
火车票被变到左边客人的衣服里！就
像美国的David Copperfield演的那样！
那些外国人一高兴，都忘了火车晚了
的事，你看，多有意思。"

听到这里，周天的心[4]一动，这个
张东明，能从别人衣服里拿东西，手
很快呀！这消息太重要[36]了！

"他住在哪里？"周天问。

"啊，他们家最近搬了，住进城北
的一个大房子里了，上下有三层呢。
对了，因为住得远，他不骑自行车

36. 重要 zhòngyào: important

了，现在来公司都自己开车。"

"开车? 他开什么样子的车?"周天问。

"一辆很漂亮的VOLVO。"周天的心⁴又动了一下，这个张东明，住大房子买VOLVO汽车，他哪来的那么多钱? 要好好注意这个张东明!

"您有他的照片吗?"

"当然! 客人们都喜欢跟他一起照相³⁷!"

经理³⁴指着桌子上一张大照片说："看，这一队人里，旁边这个长得很不错的先生就是他。"

周天看了看照片，张东明长得真不错，那张脸很容易记。

"下次他什么时候带客人坐飞机出去旅游?"

经理³⁴在一张表上看了一会儿，回答说："三天以后。他后天回来，12月27号再带十几个人去旅游，要去四天。"

听到这里，周天突然有了一个决

---

37. 照相 zhào xiàng: take pictures

定，"请把我的名字加到这一队客人中。但是，请不要告诉他我是警察[2]。"

Want to check your understanding of this part?
Go to the questions on page 65.

5. 是那个山西人干³²的吗？

关全来的家在山西省的中部³⁸，是一座大山里的一个小村³⁹，那儿离大城市很远，在GOOGLE地图上都找不到。

12月24号中午，周天坐飞机飞到了山西省的一个大城市，他还要向南坐很长一段时间的汽车，才能到关全来的家。

这天天气很坏，又是风又是雪，气温不到2度，周天走在路上，脸被风和雪打得又冷又疼，腿也越来越重。山西省这些年发展得不错，可是关全来那个村³⁹生活水平提高得不多，村³⁹里刚刚有了电，生活虽然比历史上好了，能吃饱肚子了，但是人们还没有多少钱。一些人还住着旧房子，不少人跑到城里去打工。

38. 中部 zhōngbù: central part
39. 村 cūn: village

27

周天在雪地上走了很久，在一个阿姨和她女儿的帮助下，才找到了村长⁴⁰家。

那是一个不太暖和的小房子，一张旧桌子上有个电视，很小，正放着音乐。周天发现，这个小电视也很旧，只有黑和白两种颜色。村长⁴⁰是位老先生。

"请问，你们村³⁹里有个叫关全来的人吗？"周天告诉他自己是警察²以后，很客气地问。

"有，有，有！"村长⁴⁰很热情地回答。

40. 村长 cūnzhǎng: village head

在这个小村³⁹里，很少看见北京来的人，更别说北京的警察²了!

"那可是个好人呀!"还没等周天再问什么，村长⁴⁰就像聊天一样对周天说："这些年，全来这孩子长大了，懂了很多事，有钱⁹了也没忘了村³⁹里，你看，从走公共汽车的那个路口到村³⁹里，这条小路，都靠他出钱了，三万五千块钱啊!这条路，对村³⁹里的发展太重要³⁶啦!"

周天想，这个关全来有不少钱啊!"他现在在外边干³²什么工作?"

"这……他不常回来，我好久没有见过他了，我说不清楚他现在做什么。"村长⁴⁰有点不好意思了。

"我只知道他过去帮邮局送报，这份工作，一个月拿不到多少钱，不是不够房租就是饿肚子。可是这两年，不知道怎么了，他有钱⁹了，家里有了新房子，他的弟弟妹妹也都穿上了新衣服，回到学校学习了。村³⁹里人说全来好，还因为全来每次回来，都记着给村³⁹里人带礼物，他给孩子们带足球、篮球、书和水果、饮料，给住在附近的人们带酒和菜，给我也带过一只烤鸭，给住在我家旁边的老王爷爷还带过鱼和苹果。有个老奶奶过生日，他还送过蛋糕……有人开玩笑说，全来在城里开银行了吧，要不然[30]怎么一下子就这么有钱[9]了？我也问过全来，在外边干[32]什么工作，他笑了笑，什么也没说。"

村长[40]介绍完了，听他的意思，这个关全来应该是个不错的人。但是，村长[40]说不清楚他在外边做什么工作，从哪里来的那么多钱。所以周天认为，虽然村长[40]说关全来好，也必须好好注意他。

周天突然想起来，水笑笑以前这

样问过自己,"你们警察²,怎么看世界上的人都像坏人?"

周天说:"因为我们是警察²,就必须比别人多一双眼睛。"

"多一双眼睛?在哪儿?"

"在我们心⁴里。"

想到这里,周天又问村长⁴⁰:"您有关全来的照片吗?"

"照片?那东西,没有。我们村³⁹里的人都没有什么照片。"周天知道村长⁴⁰说的是真的,在一些生活很苦的小村³⁹子里,人们差不多都没有照片。

Want to check your understanding of this part?
Go to the questions on page 65.

6. 这个导游不简单

12月26日下午，周天坐飞机回到了北京机场。刚打开[15]手机，就接到航空公司小姐的电话，"喂，周天，听出我是谁了吗？"她还是那么快乐。

周天也半开玩笑地说："当然！那么漂亮的小姐，谁能记不住？"

小姐笑了，"告诉你，张东明买票了！是后天早上的飞机！还有，你的名字也和他在一起呢！"周天想，那位旅游公司的经理[34]干[32]得不错！

28号早上，周天脱下警服，像个放假出去旅游的人，拿着一个包，来到旅游公司。远远地，他就看见张东明脸上带着笑，手里拿着一个小摄像机[41]，站在公司门口。

"您好！"张东明对周天说。

"您贵姓？"

"我姓周。"

41. 摄像机 shèxiàngjī: video camera

"啊，是周天先生吧？欢迎欢迎！我是导游张东明，从今天起，咱们的旅行生活就开始了!"

没多长时间，张东明已经跟十几个参加旅行的客人成了朋友。

"你那摄像机⁴¹看上去很不错啊。"有人说。

"对，我要把咱们所有的活动都照下来，回来以后，做成旅游光盘⁴²，寄给大家。"

在机场等飞机的时候，张东明手里拿着大家的机票问，"各位⁴³，有没有怕坐飞机的？"

---

42. 光盘 guāngpán: compact disk
43. 各位 gèwèi: everybody (in addressing)

一位四十多岁、穿着一身蓝衣服的先生和一个老奶奶很快举起手来，一位老爷爷也不好意思地举起了手。

张东明笑了，说："没问题，戴奶奶，您坐我左边；谢先生，您坐我右边；高爷爷，您坐我前边。有我在，大家就放心⁴吧!"

周天想了想，说："对不起，还有我。"

张东明看了看身体挺棒的周天，眼睛转了转，好像有点不相信，但是，他还是热情地说："没问题，您坐我后边吧。大家都坐在我周围，我全能照顾。有什么不舒服不合适的，就告诉我，要是感冒、咳嗽、发烧，我这里也带着药。"

大家都高兴地笑起来，周天也笑了。他想，很好，坐在你后边，你干[32]什么都别想跑出我的眼睛！

过了一会儿，一男一女两位服务员打开[15]了上飞机的门，张东明马上很有经验地站起来对大家说："要上飞机了，大家不要乱，拿好自己的东西，跟着我。注意，"他把"注意"两个字说得重一些，"请放好钱和贵重[44]的东西!"

周天想，这个张东明还真是个好导游，想问题很细呀！好，从上飞机开始，我更要好好注意他。飞机开起来了，跑得越来越快，谢先生很紧张，脸都白了。他很快地站起来，"我、我要上厕所!"

张东明马上叫住他，"谢先生，快坐下，飞机正在往上飞，不能上厕所。您太紧张了。"

谢先生慢慢坐下来，"是的，我很紧张……每次坐飞机，我都觉得特别想上厕所。"

张东明笑了，他问："谢先生，这

44. 贵重 guìzhòng: valuable

次您是一个人来旅游?"

谢先生的脸变红了，"我的女朋友刚刚离开我，我心⁴里不愉快，就只好出来旅游了。"

"啊，对不起，我没想到原来是这样。不过，没关系，谢先生，您年纪⁴⁵不大，看样子也很健康，我相信您很快就能找到更合适的女朋友!"谢先生高兴地笑了，他已经忘了想上厕所的事了。

一直到下飞机，周天坐在张东明的后边，眼睛一点都没离开张东明。张东明一会儿照顾戴奶奶、高爷爷，一会儿问问谢先生和周天，"怎么样?没什么不舒服的吧?"他也不停地照顾着别的客人，一直挺忙的，没有一点叫周天觉得不对的地方。不但没有不对的地方，周天觉得，张东明对客人们的照顾还很不错呢……

愉快的旅游，时间总是¹⁴过得很快。第四天，下午就该回北京了。中午大家在一个饭馆坐下，很高兴地吃着饺子。张东明很快吃完了，放下碗

45. 年纪 niánjì: age

站起来说，"大家慢慢吃，我给大家讲个故事。"

"好呀，好呀!"大家都觉得很高兴。

"从前有个老师，"张东明开始讲故事，"看见两个学生在比赛爬树，越爬越高，他在下面看着，什么都没说。可是后来，等两个学生下到树的一半的时候，他说话了，注意点呀，不要急啊! 别的同学不知道为什么，就问老师，为什么他们上去的时候您不告诉他们注意点儿，在他们都快要下来了的时候您要让他们注意呢? 老师说，因为上树的时候，他们都知道，树很高，掉下来会很疼，也许还会死，所以他们上树的时候都很小心⁴⁶。他们知道注意，我就不用说什么了。可是下到一半以后，他们会觉得没什么大问题了，这时候，就常常会出事。所以，我要在这时候告诉他们注意。"

说到这儿，张东明笑着说："我的故事讲完了。谢谢大家。"

大家都笑起来，高爷爷说话了，"东明呀，你的意思我们懂了，你主要是说，快回家了，大家更要注意些，拿好自己的行李，注意钱和贵重⁴⁴的东西，在最后的时候，不要出⁵任何不愉快的事情。对吗？"

张东明笑着说："高爷爷，您说得对，咱们再坐一个多小时飞机就到北京了，我祝大家一路平安！"

见张东明用讲故事的办法告诉大家注意，周天和别的客人一样，心⁴里更喜欢这个导游张东明了，不过，警察²周天没有忘，自己是为什么来旅游

---

46. 小心 xiǎoxīn: be careful

的。周天想，如果张东明是那个在飞机上偷[13]钱的人，他一定知道，马上就要过新年了，飞机上会有不少人带钱回家，那么，他很可能在回北京的飞机上动手[47]，周天告诉自己：要特别注意！

Want to check your understanding of this part?
Go to the questions on page 66.

5

---

47. 动手 dòng shǒu: start to work (Lit: touch hand)

7. 机场里出现[48]了新情况

　　在机场等飞机的时候，大家突然听到一个不好的消息，因为北京上午一直下雪，从北京来的飞机全部要晚两三个小时才能到。听到这个消息，大家都急了。张东明很有经验，他立刻站起来说，"各位[43]，那边有个咖啡厅[49]，谁想喝咖啡？"

　　他很快给每个要喝咖啡的人买来一杯热咖啡，然后说："大家喝着咖啡休息休息，我给大家变个魔术好不好？"大家一下子高兴起来。

　　"谁借给我一毛钱？"周天拿出一毛钱给他。

　　"谢谢!"张东明说。

　　"请大家看好这钱在哪儿。"他先把钱放到嘴旁边吹了吹，然后从左手放进右手，又从右手放进左手，问，"在哪儿？"

---

48. 出现 chūxiàn: appear
49. 咖啡厅 kāfēitīng: coffee bar

戴奶奶说在左手，张东明张开左手，左手是空的；高爷爷说在右手，张东明又张开右手，右手还是空的……大家都觉得很有意思，都急着问"在哪儿，在哪儿?"

张东明慢慢地从头后边的衣服里拿出那一毛钱还给周天，大家快乐地大笑起来……周天正喝着咖啡看张东明演魔术，突然，航空公司的小姐来电话了，她告诉周天，关全来十分钟前买了一张机票！就是从周天等飞机的这个机场回北京的票！周天立刻紧张起来，他放下咖啡，很快地向换登机牌[50]的服务员走去。

50. 登机牌 dēngjīpái: boarding pass

"我是北京机场的警察²。"周天拿出自己的警官证³³，"请问，关全来换好登机牌⁵⁰了吗？"

服务员看了看电脑，"刚换完。"接着¹⁶又说出了关全来要上的飞机号。

真没有想到，关全来和周天坐的是同一个飞机！现在，张东明和关全来就要上同一个飞机了，他们是不是要一起偷¹³别人的钱？！

想到这里，周天更紧张了。他立刻来到安检口⁵¹，"我是警察²。"他拿出警官证³³要求安检口⁵¹的服务员，"请给我找到客人关全来的画面⁵²。"服务员马上找到了关全来经过安检口⁵¹的画面⁵²，周天看到，这个男人穿着一身黑衣服，长得不高，眼睛和嘴很小，鼻子很大，脸是长的。周天立刻记住了这张脸。他在机场里走着，眼睛注意地看着周围，他要找到关全来。

前面是一家卖世界上不同国家的衣服的商店，周天看见了谢先生，他正在看各种颜色的衬衫。他左手拿起一件白衬衫看了看："行，买了。"右

51. 安检口 ānjiǎnkǒu: security check gate
52. 画面 huàmiàn: image

手拿起一件里边有毛的黄色衣服，"行，也买了。"他是看一样就买一样，有些有钱[9]人买东西就是那种样子，最后还买了一条很贵的裤子。谢先生从一个绿颜色的大包里拿出一个钱包[53]，从钱包[53]里拿了一些钱给售货员。周天看见，他的那个钱包[53]特别大，一看就知道里面放了很多钱。这时候，商店门口，出现[48]了一个男人的长长的脸，脸上那双不大的眼睛正在往谢先生这边看……周天的心[4]动了一下：关全来！

53. 钱包 qiánbāo: wallet

谢先生把钱包⁵³和衣服放进他的那个绿颜色大包里，转过身，看见了周天，高兴地说，"周先生，你也买衣服吗？"

周天笑笑，"不，我想去买瓶水，从这家商店前经过，就进来看看，参观一下。"

这时候，张东明向这里跑过来，"啊，你们俩在这儿！快一点，四点一刻就要上飞机了！"转过身的时候，张东明看见了关全来，周天发现，张东明的眼睛注意了关全来一下。

周天、谢先生跟着张东明回到等飞机的地方。关全来跟着他们，坐得离他们很近。这时候，服务员正在打开¹⁵上飞机的门，马上就要上飞机了。张东明在旅行的客人中间走过来走过去，努力照顾着大家，"请拿好自己的东西！"

走到谢先生旁边的时候，他又说了一次，"请拿好自己的东西！"

周天觉得，他对谢先生说的时候，声音⁵⁴很大，一边说一边还看了

54. 声音 shēngyīn: voice

关全来一下……周天的脸向着别的地方，好像没注意这里，但是他的眼睛一直在看着这一切，他知道，一场好戏[55]就要开始了！

Want to check your understanding of this part?
Go to the questions on page 66.

---

55. 戏 xì: drama; play

8. 一场好戏 [55]

上飞机的门开了，大家一个接着 [16] 一个走向飞机。刚到飞机门口，周天的眼睛就变圆了，"啊，水笑笑!"他怎么也想不到，他的女朋友，漂亮的空姐 [20] 水笑笑，正站在飞机门口欢迎客人呢! 因为工作太忙，他跟水笑笑已经快一个月没见面了。水笑笑那半个月亮一样好看的眼睛也变圆了，"你怎么会在这儿?! 啊，还有张东明! 你们怎么都在这个飞机上? 你们认识啊?"水笑笑说话很好听，像唱歌一样。

张东明也很高兴，"周天是我的客人呀!"

水笑笑脸上的笑停住了，"客人?"

她好像有点不相信……周天什么都不能告诉她，只对她笑了一下，就走进飞机。他要好好看着张东明和关全来! 他发现，张东明陪着戴奶奶，高爷爷走在谢先生前边，照顾他们坐好，就回过身，照顾大家放行李。关全来跟在谢先生后边，注意地看着谢先生。谢先生把包放进了一个行李舱[17]，关全来也把自己的包放进去。飞机飞高了，客人们可以去上厕所了，紧张的谢先生好像已经等急了，他很快地站起来向飞机后边的厕所走去。周天发现，谢先生一走，张东明就很紧张，他的脸变长了，眼睛变得很大、很圆。关全来往前看看往后看看，很快地站起来，走向放包的那个行李舱[17]。周天很紧张，他知道，这是非常重要[36]的时候，但是他不能跟得太近，他怕关全来发现有人注意，就不动手[47]了。周天想，要是文志也在这里就好了，现在真需要他的帮助啊！周天注意地看着关全来，准备着。想着，只要关全来一动谢先生的包，就马上抓[19]住他！但是，他觉得，关全来的手好像没怎么动，好像只是从自己的包里拿了一本书，然后关上行李舱[17]，走回来，低下头开始读书。

cāng

从关全来打开¹⁵行李舱¹⁷，拿出书，到关上行李舱¹⁷，一共还不到半分钟。周天虽然在努力地看着他，但是完全没发现有什么问题。周天又很快地看看张东明，张东明坐在那里，正很认真地玩儿他的摄像机⁴¹。周天想，谢先生是关全来一直注意的人，现在，谢先生去厕所了，正是关全来动手⁴⁷的好机会，关全来为什么已经打开¹⁵了行李舱¹⁷又没动手⁴⁷呢？他在等什么？还有，如果张东明跟关全来是一起的，他为什么也没动手⁴⁷？他在等什么？

水笑笑给大家送完茶、水、饮料

shè xiàng jī

和咖啡，来到周天旁边，"你不可能有时间旅游，告诉我，怎么回事？"笑笑在周天旁边小声地问，不让别人听见。

"你先说说，你怎么认识张东明的？"周天没有马上回答水笑笑，只是问了她一个问题。说的时候，他的眼睛还一直看着前边的张东明和旁边不远的关全来。

"我们俩的家住得很近，以前我们也是同学，从7岁开始，我们一直上一个学校，在一个班，还常常一起在教室里做功课。上完中学以后，他上了一个很有名的大学，我们都以为他上完大学会到国外学习呢，结果，没有拿到外国的签证，他就去当了导游。"水笑笑说。

"哦，是这样。那么，你知道他为什么会住在那么大的房子里？为什么有那么贵的汽车？"

"啊，你这个警察²！你是不是把张东明当坏人了？"水笑笑问。

"你错了。他家是有大房子，但是，那个房子不是他做坏事得来的。那个故事说起来还有点苦！他爷爷原来在城内有个四合院[56]，后来，有人买下了那个地方，给了他爷爷很多钱，要是别人，拿到那么多钱，该多高兴呀！可是他爷爷不愿意。他爷爷在那个老四合院[56]住了八十多年，住习惯了。那里离商店、公园、医院也比较近。现在，要搬到很远的城北，人都不认识，也没有大商店和好医院，但是四合院[56]那个地方被别人买下来了，爷爷只能搬家。可是，人老了容易生病，需要常常上医院看病。所以他爷爷就跟他爸爸妈妈说，用卖四合院[56]的那些钱在城北买个三层的小楼，全家搬到一起，爷爷住第一层，爸爸妈妈住第二层，张东明住第三层，这样，大家照顾爷爷方便些。因为离城里远，爷爷又给他爸爸妈妈买了一辆车，那辆车比较便宜，算算还有不少钱，就给张东明买了一辆贵一些的VOLVO。就是这样！"

"那，他怎么会变魔术呢？"

56. 四合院 sìhéyuàn: a courtyard with houses on four sides

　　"你这个警察²什么都问！"水笑笑觉得周天问得太多，可是还是回答了他，"张东明是个喜欢学新东西的人，过去，在他爷爷的四合院⁵⁶里住着一位演魔术的先生，他就在爷爷的客厅里跟那位先生学魔术，才一个暑假，他就练习得手特别快，眼睛特别好用了。后来他常在我们班里演魔术，大家都喜欢看！"

　　正说着，张东明拿着他的摄像机⁴¹紧张地走到水笑笑附近，问，"笑笑，飞机上的警察²呢？！"

　　"什么事？"水笑笑问。

　　"这里……"东明指着摄像机⁴¹，

"有问题!"

"有什么问题?"水笑笑问。

一听张东明找警察[2],周天知道有事,他立刻站起来,拿出自己的警官证[33],"跟我谈吧。"

"你、你是机场的警察[2]?!"张东明特别高兴,"那你快看看!"他把周天带到飞机后边的厨房,那里离关全来远一些,让周天看摄像机[41]里的画面[52]。

周天看到，摄像机[41]里照的是关全来刚上飞机的时候往行李舱[17]放包，和后来从行李舱[17]往外边拿书的所有情况。周天看了两遍，觉得什么地方好像有一点儿不对，但是，因为时间很短，每次都不到半分钟，周天又说不出什么地方不对……

"看，看!"张东明见周天没说话，就让画面[52]走得更慢些，"这是刚上飞机的时候，他把自己的包放到谢先生的绿包旁边，你看，他动了一下谢先生的包!"张东明把画面[52]在这里停下，"动得特别快，就像变魔术，可是，这时候过来了一个人，"他指着一个也往这个行李舱[17]里放包的男人，"没有机会动手[47]，他只好离开了。"

"但是，请看第二次，谢先生上厕所的时候，"他让画面[52]又动起来，而且变近、变大，他指着关全来在行李舱[17]里的手，"虽然还是那样快，但是右手向这边动，这就不对!你看，他的左手在自己包里拿书的同时，右手在翻旁边谢先生的大绿包!"周天又看了一遍慢放的画面⁵²，啊呀，这个"三只手⁶"的手真快呀，自己都没看出来！周天有点不好意思了，自己是警察²，用了那么多时间，还花⁵⁷了不少钱，就是来抓¹⁹这个人的，可是，就在自己努力看着他的时候，这个人动了别人的包……毛局长说，小偷¹²长了三只手⁶，好警察²就要锻炼出三只眼睛，自己现在还差得很远啊！

"你怎么会注意这个人？"周天看着张东明问。

"这个人我见过呀！"张东明也看着周天，"我们干³²导游的，差不多两三天就坐一次飞机。大概两周前，我带着客人坐飞机回北京，就见过他。我发现他和别人不一样，别人等飞机的时候一般都坐着，他不，他在机场里东走西看，还特别注意那些有钱⁹的客人，上飞机后，我看见他有两三次去开行李舱¹⁷，可是又没有什么事，总是¹⁴把一本书拿来拿去的……后来，听说那次飞机上有人丢¹钱了，我就想，除了他以外，不会有别人！刚

57. 花 huā: spend

才在机场的商店里，我又看见他了！他正注意谢先生的钱包[53]，我就告诉自己要特别注意他！"

原来是这样。周天想，自己虽然干[32]了警察[2]，但是抓[19]小偷[12]还是第一次，还没有锻炼出第三只眼睛。这个会演魔术的导游，手快眼睛也快，是他帮了自己的大忙！这时候，有个空姐[20]在对客人们说，还有二十分钟就到北京机场了，周天没时间再多想了。

"请你问问谢先生，他的包里少了什么？"周天对张东明说。

"我来看住这个人！"

张东明叫谢先生看看包，谢先生

虽然不知道为什么，但是还是站起来走向行李舱¹⁷。关全来开始紧张了。谢先生见大绿包像原来一样放在那里，就马马虎虎地说，"很好，没问题。"

"请你再好好看看。"张东明客气地说。

谢先生又马马虎虎地打开¹⁵大绿包看了一下，还是很快地说，"很好呀，没问题。"

张东明对他说，"请看看你的钱包⁵³还在不在？钱少没少？"

谢先生笑着说，"你呀，真麻烦。"但是，当他认真地打开¹⁵包的时候，他大叫起来，一边叫，脚还一边重重地跳着，"钱没了！都没了！多了一本书!"

周天走向关全来，拿出警官证³³。关全来的脸已经全白了，全身一下子变冷了，就像有人把冷水从他的头上倒下来，流过他的脸，一直流到衣服上，再流到脚上……

Want to check your understanding of this part?
Go to the questions on page 66.

9. 第三只眼睛

新年的前一天，周天穿好警察²的衣服，来到毛局长办公室³。

"干³²得不错！"毛局长笑着对周天说。

"不，我还差得很多，我还没有锻炼出'第三只眼睛'。"周天的脸红了一下，他把张东明帮助自己抓¹⁹小偷¹²的事说了一遍。

"还有，小偷¹²是怎么想、怎么做的，我没抓¹⁹住关全来以前很不了解。所以开始的时候，觉得很困难⁵⁸。"

"说说看，你现在觉得这个'三只手⁶'是怎么想、怎么做的呢？"

"村³⁹里的人，他不偷¹³，因为那些人钱少，生活苦。他给村³⁹里人带礼物，给村³⁹里做好事，是为了让村³⁹里人觉得他好，要是有警察²来村³⁹里问他的情况，村³⁹里人会为他说好话。还有，老人和孩子钱少，他不偷¹³；女的一般喜欢把钱放在衣服里，或者放在身体旁边的小包里，不马马虎虎，他也不偷¹³；四十岁到五十岁的男的比较有钱⁹，工作也很累，上了飞机就喜欢睡觉，还常马马虎虎，最容易偷¹³。还有一种人，就像第五个被偷¹³的先生那样，虽然不马虎，但是非常紧张，总是¹⁴把包拿在手里，一分钟都不离开，小偷¹²知道，这种人，包里一定有很多钱！上飞机以前，小偷¹²要做好准备工作。他会东看西看，找那些要和自己坐一

---

58. 困难 kùnnan: difficult; difficulty

个飞机的有钱[9]人，看他们的钱放在哪里。上了飞机，他先把自己的包和这个人的放在一起，要是没人注意，在放包的时候，就把钱偷[13]走了。那第五个丢[1]钱的先生，十万元钱就是在放包的时候被偷[13]走的。'三只手[6]'关全来说，那个先生放好包，还在找坐的地方的时候，钱就已经到了他的手里！要是放包的时候不方便偷[13]，就等那个人上厕所或者吃饭、睡觉的时候再偷[13]，要是这个人又不上厕所、又不吃饭睡觉，就等下飞机前，人们都起来拿行李，飞机里有点乱的时候动手[47]。还有，为了不让被偷[13]的人在下飞机前发现，他总是[14]把自己包里的书放进被偷[13]的包里，这样，包还是那样大，那样重，就不容易被发现。'三只手[6]'都跟他们的'老师'练习过，手特别快，就像变魔术，做这些事情，半分钟都不用！我还没有锻炼出'第三只眼睛'，所以我没在他偷[13]东西的时候发现他，更没在他偷[13]东西的时候抓[19]住他……"

毛局长笑了，"你已经有了一些经

验，这很好。我相信，下一次，小偷[12]就跑不出你的眼睛了!"

走出毛局长的办公室[3]，周天心[4]里特别高兴，他拿出手机，他要给张东明打电话，请他一起吃晚饭，到时候，他不但要谢谢张东明帮助自己抓[19]住了这个"三只手[6]"，还要请他当自己的老师，教自己变魔术，锻炼好自己的"第三只眼睛"。当然，一定不能忘了，还要买一些好看的花[57]，因为，晚饭要同时约上水笑笑和那个漂亮的航空公司小姐。对了，张东明和那个航空公司的姑娘都是很快乐的人，要是张东明还没有女朋友，航空公司小姐还没有男朋友，那么，他们将来也许能像自己和水笑笑那样，变成朋友呢……周天想着，笑了。

Want to check your understanding of this part?
Go to the questions on page 67.

To check your vocabulary of this reader,
go to the questions on page 68.

To check your global understanding of this reader,
go to the questions on page 69.

生词索引
Vocabulary index

1	丢	diū	lose
2	警察	jǐngchá	policeman
3	办公室	bàngōngshì	office
4	心	xīn	heart
5	出	chū	appear; (come) out
6	三只手	sānzhīshǒu	pickpocket (Lit: three measure-word hand)
7	案件	ànjiàn	case (at law court)
8	着急	zháo jí	worry; feel anxious
9	有钱	yǒu qián	rich
10	牌子	páizi	brand
11	线索	xiànsuǒ	clue
12	小偷	xiǎotōu	pickpocket
13	偷	tōu	steal
14	总是	zǒngshì	always
15	打开	dǎkāi	open up
16	接着	jiēzhe	continuously (Lit: following)
17	行李舱	xínglicāng	luggage compartment
18	睡不着	shuì bu zháo	cannot sleep
19	抓	zhuā	catch (a criminal)
20	空姐	kōngjiě	stewardess
21	有用	yǒuyòng	useful
22	纸	zhǐ	paper
23	身份证	shēnfènzhèng	identification card
24	天上	tiānshang	in the sky
25	亮	liàng	bright
26	帅	shuài	handsome
27	年轻	niánqīng	young

28	打印	dǎyìn	print
29	拐弯儿	guǎi wānr	make a turn
30	要不然	yàoburán	or else
31	计划	jìhuà	plan; plan to do
32	干	gàn	do
33	警官证	jǐngguānzhèng	police ID
34	经理	jīnglǐ	manager
35	碰到	pèngdào	bump into, meet
36	重要	zhòngyào	important
37	照相	zhào xiàng	take pictures
38	中部	zhōngbù	central part
39	村	cūn	village
40	村长	cūnzhǎng	village head
41	摄像机	shèxiàngjī	video camera
42	光盘	guāngpán	compact disk
43	各位	gèwèi	everybody (in addressing)
44	贵重	guìzhòng	valuable
45	年纪	niánjì	age
46	小心	xiǎoxīn	be careful
47	动手	dòng shǒu	start to work (Lit: touch hand)
48	出现	chūxiàn	appear
49	咖啡厅	kāfēitīng	coffee bar
50	登机牌	dēngjīpái	boarding pass
51	安检口	ānjiǎnkǒu	security check gate
52	画面	huàmiàn	image
53	钱包	qiánbāo	wallet
54	声音	shēngyīn	voice
55	戏	xì	drama; play
56	四合院	sìhéyuàn	a courtyard with houses on four sides
57	花	huā	spend
58	困难	kùnnan	difficult; difficulty

练　习
Exercises

1. 飞机上怎么老丢[1]钱?(p.1)

根据故事选择正确答案。Select the correct answer for each of the questions.

(1) 文志是谁?

    a. 警察[2]　　　　b. 那个丢[1]钱的男人　　　c. 局长

(2) 周天是谁?

    a. 警察[2]　　　　b. 那个丢[1]钱的男人　　　c. 局长

(3) 那个男人在哪儿丢的钱?

    a. 机场里　　　b. 飞机上　　　　c. 去机场的路上

2. 想出一个好办法(p.7)

根据故事选择正确答案。Select the correct answer for each of the questions.

(1) 那天晚上文志为什么不在宿舍? 因为他去:

    a. 找丢[1]钱的男人　　　　b. 照顾生病的妈妈

(2) 水笑笑是谁?

    a. 周天的女朋友　　　　b. 文志的妹妹

(3) 周天想出什么好办法?

    a. 找出坐飞机的人的名字和身份证[23]号

    b. 找毛局长帮忙

3. 发现两个线索¹¹(p.16)

根据故事选择正确答案。Select the correct answer for each of the questions.

(1) 谁告诉周天客人们的名字和身份证²³号？

    a. 水笑笑   b. 一个卖票的小姐

(2) 谁五次飞机都坐了？

    a. 张东明   b. 关全来

4. 是这个导游干³²的吗？(p.22)

根据故事选择正确答案。Select the correct answer for each of the questions.

(1) 经理说张东明这个人怎么样？

    a. 很爱钱，客人们都很不喜欢他

    b. 很热情，客人们都很喜欢他

(2) 张东明有很多钱吗？

    a. 有   b. 没有

(3) 周天打算要做什么？

    a. 跟着张东明去旅游   b. 让别的警察²抓张东明

5. 是那个山西人干³²的吗？(p.27)

下面的说法哪个对，哪个错？ Mark the correct ones with "T" and incorrect ones with "T".

(1) 关全来对村³⁹里人很不好。   (   )

(2) 关全以前没有钱，现在有钱了。   (   )

(3) 村长说关全来在银行工作。   (   )

6. 这个导游不简单(p.32)

下面的说法哪个对,哪个错? Mark the correct ones with "T" and incorrect ones with "F".

(1)张东明把旅游的客人照顾得很好。　　　　　　　(　)

(2)为了让大家高兴,张东明讲了一个爬山的故事。　(　)

(3)周天一点都不喜欢张东明。　　　　　　　　　　(　)

7. 机场里出现⁴⁸了新情况(p.40)

根据故事选择正确答案。Select the correct answer for each of the questions.

(1) 大家喝咖啡的时候,张东明做了什么?

　　a. 讲故事　　　　　　　　b. 变魔术　① mó shù magic trick

(2) 周天怎么知道关全来长什么样?

　　a. 他看了安检口⁵¹的画面⁵²　b. 他看了张东明的摄像机⁴¹

(3) 谁让谢先生拿好自己的东西?

　　a. 关全来　　　　　　　　b. 飞机的服务员

　　c. 周天　　　　　　　　　d. 张东明

8. 一场好戏⁵⁵(p.46)

下面的说法哪个对,哪个错? Mark the correct ones with "T" and incorrect ones with "F".

(1) 水笑笑认识关全来。　　　　　　　　　　　　　(　)

(2) 谢先生并不知道自己的钱丢¹了。　　　　　　　(　)

(3) 张东明和关全来一起拿了谢先生的钱。　　　　　(　)

9. 第三只眼睛(p.57)

根据故事选择正确答案。Select the correct answer for each of the questions.

（1）第三只眼睛是什么？

      a. 发现小偷[12]偷东西的眼睛　　b. 发现漂亮小姐的眼睛

（2）能抓到小偷，周天觉得最应该感谢谁？

      a. 文志　　　　　　b. 水笑笑

      c. 张东明　　　　　d. 毛局长

词汇练习 Vocabulary exercises

选词填空 Fill in each blank with the most appropriate word.

a. 突然　　b. 马马虎虎　　c. 空　　d. 锻炼　　e. 照顾

(1) 不能跟有经验的警察[2]一起办案,周天的心有点儿_____。

(2) 听说有人在飞机上丢[1]了钱,周天的心_____很重地跳了几下。

(3) 张东明把客人们_____得很好。

(4) 那个丢[1]钱的男人不是一个_____的人。

(5) 周天觉得自己应该_____自己的第三只眼睛。

a. 热情　　b. 经验　　c. 平安　　d. 注意　　e. 演

(1) 张东明祝客人们一路_____。

(2) 在飞机上,一场好戏[55]就要开始_____了。

(3) 张东明工作很努力,人也很_____。

(4) 周天发现张东明也在_____关全来。

(5) 张东明是一个很有_____的导游。

a. 健康　　b. 合适　　c. 欢迎　　d. 立刻　　e. 练习

(1) 三只手[6]都和他们的"老师"_____过。

(2) 谢先生年纪不大,看起来很_____。

(3) 一听张东明找警察[2],周天_____站起来。

(4) 张东明觉得谢先生会找到一个更_____的女朋友。

(5) 水笑笑在飞机门口_____客人。

综合理解 Global understanding

根据整篇故事选择正确的答案。 Select the correct answer for each of the gape sentences in the following passage.

周天是机场的一名(a. 服务员 b. 警察[2])。最近,飞机上老丢[1]钱,毛局长让周天和(a. 文志 b. 水笑笑)办这个案件[7]。周天看了(a. 坐飞机的客人的名字和身份证[23]号 b. 安检口[51]的画面[52]),发现[48]有两个人最有可能偷[13]钱,他们是张东明和关全来,因为他们(a. 常坐那些丢钱的飞机 b. 他们有很多钱)。

张东明是(a. 北京人 b. 山西人),他是一名(a. 服务员 b. 导游)。关全来是(a. 北京人 b. 山西人)。他们都(a. 很有钱[9] b. 会变魔术),认识他们的人都说他们(a. 很好 b. 不好)。为了找到偷[13]钱的人,周天跟着(a. 张东明 b. 关全来)去旅游。回来的时候,周天知道(a. 张东明 b. 关全来)也来了,而且和他坐同一个飞机。一场好戏[55]开始了。周天看着他们两个人,想知道谁会偷[13]钱。(a. 张东明 b. 关全来) 好像没偷[13]钱,因为他一直在玩摄像机[41]。(a. 张东明 b. 关全来)好像也没偷[13]钱,因为他没动别人的包。怎么办?这时候,(a. 水笑笑 b. 张东明 c. 关全来 d. 文志)要找警察[2],说发现[48]有人偷[13]钱。看着摄像机[41]的画面,周天才发现[48]原来三只手[6]是(a. 水笑笑 b. 张东明 c. 关全来 d.文志)。

这件事情过了以后,周天很不好意思,觉得还要锻炼自己的(a. 第三只手[6] b. 第三只眼睛)。周天还要谢谢(a. 张东明 b. 关全来 c. 文志 d. 毛局长),想把(a. 卖票的小姐 b. 水笑笑)介绍给他认识。

练习答案
Answer keys to the exercises

1. 飞机上怎么老丢[1]钱？

    (1) a   (2) a   (3) b

2. 想出一个好办法

    (1) b   (2) a   (3) a

3. 发现两个线索[11]

    (1) b   (2) b

4. 是这个导游干[32]的吗？

    (1) b   (2) a   (3) a

5. 是那个山西人干[32]的吗？

    (1) F   (2) T   (3) F

6. 这个导游不简单

    (1) T   (2) F   (3) F

7. 机场里出现[48]了新情况

    (1) b   (2) a   (3) d

8. 一场好戏[55]

    (1) F   (2) T   (3) F

9. 第三只眼睛

    (1) a   (2) c

词汇练习 Vocabulary exercises

(1)c   (2)a   (3)e   (4)b   (5)d

(1)c   (2)e   (3)a   (4)d   (5)b

(1)e   (2)a   (3)d   (4)b   (5)c

综合理解 Global understanding

    周天是机场的一名(a.服务员 **b.警察**[2])。最近，飞机上老丢[1]钱，毛局长让周天和(**a.文志** b.水笑笑)办这个案件[7]。周天看了(**a.坐飞机的客人的名字和身份证**[13]**号** b.安检口[51]的画面[52])，发现[48]有两个人最有可能偷[13]钱，他们是张东明和关全来，因为他们(**a.常坐那些丢钱的飞机** b.他们有很多钱)。

    张东明是(**a.北京人** b.山西人)，他是一名(a.服务员 **b.导游**)。关全来是(a.北京人 **b.山西人**)。他们都(**a.很有钱**[9] b.会变魔术)，认识他们的人都说他们(**a.很好** b.不好)。为了找到偷[13]钱的人，周天跟着(**a.张东明** b.关全来)去旅游。回来的时候，周天知道(a.张东明 **b.关全来**)也来了，而且和他坐同一个飞机。一场戏[55]开始了。周天看着他们两个人，想知道谁会偷[13]钱。(a.张东明 **b.关全来**)好像没[13]钱，因为他一直在玩摄像机[41]。(**a.张东明** b.关全来)好像也没偷[13]钱，因为他没动别人的包。怎么办？这时候，(a.水笑笑 **b.张东明** c.关全来 d.文志)要找警察[2]，说发现[48]有人偷[13]钱。看着摄像机[41]的画面，周天才发现[48]原来三只手[6]是(a.水笑笑 b.张东明 **c.关全来** d.文志)。

    这件事情过了以后，周天很不好意思，觉得还要锻炼自己的(a.第三只手[6] **b.第三只眼睛**)。周天还要谢谢(**a.张东明** b.关全来 c.文志 d.毛局长)，想把(**a.卖票小姐** b.水笑笑)介绍给他认识。

为所有中文学习者(包括华裔子弟)编写的
第一套系列化、成规模、原创性的大型分级
轻松泛读丛书

《汉语风》(Chinese Breeze)分级系列读物简介

《汉语风》(Chinese Breeze)是一套大型中文分级泛读系列丛书。这套丛书以"学习者通过轻松、广泛的阅读提高语言的熟练程度,培养语感,增强对中文的兴趣和学习自信心"为基本理念,根据难度分为8个等级,每一级8—10册,共60余册,每册8,000至30,000字。丛书的读者对象为中文水平从初级(大致掌握300个常用词)一直到高级(掌握3,000—4,500个常用词)的大学生和中学生(包括修美国AP课程的学生),以及其他中文学习者。

《汉语风》分级读物在设计和创作上有以下九个主要特点:

一、等级完备,方便选择。精心设计的8个语言等级,能满足不同程度的中文学习者的需要,使他们都能找到适合自己语言水平的读物。8个等级的读物所使用的基本词汇数目如下:

第1级:300 基本词	第5级:1,500 基本词
第2级:500 基本词	第6级:2,100 基本词
第3级:750 基本词	第7级:3,000 基本词
第4级:1,100 基本词	第8级:4,500 基本词

为了选择适合自己的读物,读者可以先看看读物封底的故事介绍,如果能读懂大意,说明有能力读那本读物。如果读不懂,说明那本读物对你太难,应选择低一级的。读懂故事介绍以后,再看一下书后的生词总表,如果大部分生词都认识,说明那本读物对你太容易,应试着阅读更高一级的读物。

二、题材广泛,随意选读。丛书的内容和话题是青少年学生所喜欢的侦探历险、情感恋爱、社会风情、传记写实、科幻恐怖、神话传说等等。学习者可以根据自己的兴趣爱好进行选择,享受阅读的乐趣。

三、词汇实用,反复重现。各等级读物所选用的基础词语是该等级的学习者在中文交际中最需要最常用的。为研制《汉语风》各等级的基础词表,《汉语风》工程首先建立了两个语料库:一个是大规模的当代中文书面

语和口语语料库,一个是以世界上不同地区有代表性的40余套中文教材为基础的教材语言库。然后根据不同的交际语域和使用语体对语料样本进行分层标注,再根据语言学习的基本阶程对语料样本分别进行分层统计和综合统计,最后得出符合不同学习阶程需要的不同的词汇使用度表,以此作为《汉语风》等级词表的基础。此外,《汉语风》等级词表还参考了美国、英国和中国内地、台湾、香港等所建的10余个当代中文语料库的词语统计结果。以全新的理念和方法研制的《汉语风》分级基础词表,力求既具有较高的交际实用性,也能与学生所用的教材保持高度的相关性。此外,《汉语风》的各级基础词语在读物中都通过不同的语境反复出现,以巩固记忆,促进语言的学习。

四、易读易懂,生词率低。《汉语风》严格控制读物的词汇分布、语法难度、情节开展和文化负荷,使读物易读易懂。在较初级的读物中,生词的密度严格控制在不构成理解障碍的1.5%到2%之间,而且每个生词(本级基础词语之外的词)在一本读物中初次出现的当页用脚注做出简明注释,并在以后每次出现时都用相同的索引序号进行通篇索引,篇末还附有生词总索引,以方便学生查找,帮助理解。

五、作家原创,情节有趣。《汉语风》的故事以原创作品为主,多数读物由专业作家为本套丛书专门创作。各篇读物力求故事新颖有趣,情节符合中文学习者的阅读兴趣。丛书中也包括少量改写的作品,改写也由专业作家进行,改写的原作一般都特点鲜明、故事性强,通过改写降低语言难度,使之适合该等级读者阅读。

六、语言自然,地道有味。读物以真实自然的语言写作,不仅避免了一般中文教材语言的枯燥和"教师腔",还力求鲜活地道。

七、插图丰富,版式清新。读物在文本中配有丰富的、与情节内容自然融合的插图,既帮助理解,也刺激阅读。读物的版式设计清新大方,富有情趣。

八、练习形式多样,附有习题答案。读物设计了不同形式的练习以促进学习者对读物的多层次理解;所有习题都在书后附有答案,以方便查对,利于学习。

九、配有录音光盘,两种语速选择。各册读物所附光盘上的故事录音(MP3格式),有正常语速和慢速两个语速选择,学习者可以通过听的方式轻松学习、享受听故事的愉悦。

《汉语风》建有专门网站,网址为 www.hanyufeng.com (英文版 www.chinesebreeze.com.cn)。请访问该网站查看《汉语风》各册的出版动态,购买方式,可下载的补充练习,以及对教师和学生的使用建议等信息。

ABOUT Hànyǔ Fēng (*Chinese Breeze*)

Hànyǔ Fēng (*Chinese Breeze*) is a large and innovative Chinese graded reader series which offers over 60 titles of enjoyable stories at eight language levels. It is designed for college and secondary school Chinese language learners from beginning to advanced levels (including AP Chinese students), offering them a new opportunity to read for pleasure and simultaneously developing real fluency, building confidence, and increasing motivation for Chinese learning. Hànyǔ Fēng has the following main features:

☆ Eight carefully graded levels increasing from 8,000 to 30,000 characters in length to suit the reading competence of first through fourth-year Chinese students:

Level 1: 300 base words	Level 5: 1,500 base words
Level 2: 500 base words	Level 6: 2,100 base words
Level 3: 750 base words	Level 7: 3,000 base words
Level 4: 1,100 base words	Level 8: 4,500 base words

To check if a reader is at one's reading level, a learner can first try to read the introduction of the story on the back cover. If the introduction is comprehensible, the leaner will have the ability to understand the story. Otherwise the learner should start from a lower level reader. To check whether a reader is too easy for oneself, the learner can skim Vocabulary (new words) Index at the end of the text. If most of the words on the new word list are familiar to the learner, then she/ he should try a higher level reader.

☆ Wide choice of topics, including detective, adventure, romance, fantasy, science fiction, society, biography, legend, horror, etc. to meet the diverse interests of both adult and young adult learners.

☆ Careful selection of the most useful vocabulary for real life communication in modern standard Chinese. The base vocabulary used for writing each level was generated from sophisticated computational analyses of very large written and spoken Chinese corpora as well as a language databank of over 40 commonly used or representative Chinese textbooks in different countries.

☆ Controlled distribution of vocabulary and grammar as well as the deployment of story plots and cultural references for easy reading and efficient learning, and highly recycled base words in various contexts at each level to maximize language development.

☆ Easy to understand, low new word density, and convenient new word glosses and indexes. In lower level readers, new word density is strictly limited to 1.5% to 2%. All new words are conveniently glossed with footnotes upon first appearance and also fully indexed throughout the texts as well as at the end of the text.

☆ Mostly original stories providing fresh and exciting material for Chinese learners (and even native Chinese speakers).

☆ Authentic and engaging language crafted by professional writers teamed with pedagogical experts.

☆ Fully illustrated texts with appealing layouts that facilitate understanding and increase enjoyment.

☆ Including a variety of activities to stimulate students' interaction with the text and answer keys to help check for detailed and global understanding.

☆ Audio CDs in MP3 format with two speed choices (normal and slow) accompanying each title for convenient auditory learning.

Please visit the Chinese Breeze (Hànyǔ Fēng) website at www.chinesebreeze. com.cn (or www.hanyufeng.com for its Chinese version) for all the released titles, purchase information, downloadable supplementary exercises, and suggestions about how to integrate Hànyǔ Fēng (Chinese Breeze) readers into your Chinese

《汉语风》系列读物其他分册
Other *Chinese Breeze* titles

　　《汉语风》全套共8级60余册,自2007年11月起由北京大学出版社陆续出版。下面是已经出版或近期即将出版的各册书目。请访问《汉语风》专门网站 www.hanyufeng.com (英文版 www.chinesebreeze.com.cn)或北京大学出版社网站(www.pup.cn)关注最新的出版动态。

　　Hànyǔ Fēng (*Chinese Breeze*) series consists of over 60 titles at eight language levels. They are to be published in succession since November 2007 by Peking University Press. For most recently released titles, please visit the *Chinese Breeze* (*Hànyǔ Fēng*) website at www.chinesebreeze.com.cn (or www.hanyufeng.com for its Chinese version) or the Peking University Press website at www.pup.cn.

第1级:300词级
Level 1：300 Word Level

错,错,错!
Wrong, Wrong, Wrong!

两个想上天的孩子
Two Children Seeking the Joy Bridge

我一定要找到她……
I Really Want to Find Her...

我可以请你跳舞吗?
Can I Dance with You?

向左向右
Left and Right: The Conjoined Brothers

你最喜欢谁?
——中关村故事之一
Whom Do You Like More?
The First Story from Zhongguancun

画皮

~~ed Skin~~

就把她带回他读书学习的那个小楼里,快乐得忘了家里的太太。有一天,他从外边做事回来,看见一个可怕的鬼(guǐ, ghost)坐在他读书的桌子旁边,正在往身上穿一张皮(pí, skin),穿上以后,鬼就变成了他带回来的那个漂亮姑娘! 王生怕极了,倒(dǎo, fall down)在了地上……

A long time ago, Student Wang came across a girl while he strolled along a creek near his home. The girl was astonishingly pretty, but looked haggard and despondent. Attracted to such a beauty, Wang took her back and hid her in his private study house, and they spent many happy days together. However, one day when Wang came back from outside, he saw a scene that scared him to death: A dreadful ghost sat at his desk, put on a piece of painted skin, and turned into his pretty girl...